Der Bücherbär

Klassiker für Erstleser

Dieses Buch gehört

EMMA

Maria Seidemann
lebt in Potsdam. Sie schreibt Hörspiele, Romane, Drehbücher und Kinderbücher. Sie wurde u. a. mit dem Jugendbuchpreis »Buxtehuder Bulle« ausgezeichnet.

Jutta Knipping,
geboren 1968, machte zunächst eine Ausbildung zur Druckvorlagenherstellerin. Anschließend studierte sie Grafik-Design in Münster und arbeitet seither als freiberufliche Illustratorin. Sie lebt mit Mann, Sohn und zwei Katzen in der Nähe von Osnabrück.

Johanna Spyri

Heidi

Neu erzählt von Maria Seidemann

Mit farbigen Bildern von Jutta Knipping

In neuer Rechtschreibung

1. Auflage 2004
© Edition Bücherbär im Arena Verlag GmbH, Würzburg 2004
Der Originaltext erschien erstmals 1880
Für diese Ausgabe neu erzählt von Maria Seidemann
Einband und Innenillustrationen von Jutta Knipping
Alle Rechte vorbehalten
Gesamtherstellung: Westermann Druck Zwickau GmbH
ISBN: 3-401-08169-1

Heidi kommt zum Großvater

An einem heißen Junitag kam eine junge Frau
von der Bahnstation ins Dorf gelaufen. In der
einen Hand trug sie ein kleines Bündel, mit
der anderen Hand zog sie ein
kleines Mädchen
hinter sich her.

»Wieder mal zu Besuch, Dete?«, rief eine Frau über den Zaun. »Du warst lange nicht hier. Ist das deine Tochter?«

»Nein«, antwortete Dete. »Das ist Heidi, das Kind meiner verstorbenen Schwester.«

Mitleidig schaute die Frau das Mädchen an. »Schlimm ist es, wenn ein Kind keine Eltern mehr hat. Gut, dass du Heidi damals zu dir genommen hast, so musste sie nicht ins Waisenhaus.«

Dete blieb am Zaun stehen. »Aber ich kann Heidi nicht mehr behalten. Ich habe Arbeit in einem Geschäft in Frankfurt bekommen. Deshalb bringe ich sie zu ihrem Großvater.«

»Zu dem Alten auf die Alm? Das kannst du nicht machen, Dete! Der wohnt ganz alleine mit seinen Ziegen oben auf dem Berg. In einer winzigen Hütte. Dort kann ein kleines Kind nicht leben.« Empört schüttelte die Frau den Kopf.

Heidi hatte die ganze Zeit kein Wort gesagt. Erst auf dem steilen Weg zum Berg hinauf fing sie an von einem Stein zum

anderen zu hüpfen und ihr Mund stand keinen Augenblick still. »Schau nur, Tante Dete, wie grün die Wiese ist! Hörst du die Vögel singen? Und die Berge, hast du schon mal so hohe Berge gesehen, Tante Dete?«

»Ja, du närrisches Kind, ich bin doch hier aufgewachsen«, stöhnte die Tante. Ihr taten die Füße weh in den Schuhen mit den hohen Absätzen.

Der Großvater stand vor seiner Hütte und schaute zu, wie Dete sich den Weg hinaufquälte. »Du wolltest doch nie wieder einen Fuß in meine Hütte setzen«, sagte er. »Gefällt es dir nicht mehr in der Stadt?«

»Ich gehe gleich wieder«, antwortete Dete schnippisch. »Ich bringe dir nur das Kind.«

»Was soll denn das Kind bei mir? Hier ist kein Platz für ein Kind.«

Dete warf das Bündel mit Heidis Sachen auf die Bank vor der Hütte. »Lange genug habe ich für Heidi gesorgt, jetzt bist du an der Reihe! Du bist schließlich ihr Großvater.« Sie drehte sich um und stiefelte wieder bergab, zurück zum Dorf.

Zornig starrte ihr der Großvater hinterher.

Da sagte Heidi: »Ich bin so froh, dass ich bei dir wohnen darf. Ich hatte nämlich überhaupt niemanden, nur Tante Dete. Und jetzt habe ich einen richtigen Großvater! Mit einem Bart und einer Holzhütte und lauter Tannenbäumen! Hier ist es schön, Großvater.«

»Findest du?«, fragte der Großvater und

schaute auf Heidi herunter. »Und was soll ich jetzt mit dir machen?«

»Du gibst mir etwas zu essen. Ich habe mächtigen Hunger. Und müde bin ich auch.«

Ein Lächeln huschte über das faltige Gesicht des Großvaters. Wortlos nahm er Heidi bei der Hand und ging mit ihr zum Stall. In dem Verschlag standen zwei Ziegen, eine schwarze und eine weiße.

»Die schwarze heißt Bärli und die weiße Schwänli«, sagte der Großvater. »Sie geben viel gute, fette Milch.«

Er begann die weiße Ziege zu melken. Ein Töpfchen von der Ziegenmilch gab er Heidi gleich im Stall. Sie trank alles aus und leckte sich noch den letzten Tropfen von den Lippen.

»Hm, das hat geschmeckt!«

Nach dem Schwänli molk der Großvater auch noch das Bärli. Den Eimer mit der Milch trug er in die Hütte. Dort stellte er zwei Becher auf den Tisch und legte zwei Stück Brot und Käse dazu.

»Nun iss!«

Heidi aß und schaute sich dabei in der Hütte um.
»Ist das dein Bett, Großvater? Und wo soll ich
schlafen?«

Der Großvater zeigte mit dem Finger in die
Ecke. Dort stand eine Leiter, deren oberes Ende
in einer Luke verschwand. Heidi kletterte hinauf
und blieb überrascht auf der obersten Sprosse
stehen. Der ganze Dachboden war voller Heu.
Sie breitete ihre Arme aus und ließ sich in das

weiche Heu fallen. »Wie gut das riecht! Niemand auf der ganzen Welt hat so ein schönes Bett wie ich«, jubelte sie.

Der Großvater brachte ihr ein Leintuch und eine Decke. »Träum was Schönes, Heidi. Was man in der ersten Nacht im fremden Bett träumt, das geht in Erfüllung.«

»Hier bin ich aber gar nicht fremd«, flüsterte Heidi und war schon eingeschlafen.

Seufzend stieg der Großvater die Leiter wieder hinunter. Viele Gedanken zogen ihm durch den Kopf, als er in seinem Bett lag. Er erinnerte sich an Heidis Eltern, die so jung bei einem Eisenbahnunglück ums Leben gekommen waren. Jahrelang war er danach traurig gewesen. Keinen Menschen wollte er sehen und sich von niemandem trösten lassen. Nun hatte er plötzlich dieses Kind in seiner Hütte.

Ich weiß nicht, ob ich das Mädchen lieb haben will, dachte er. Irgendwann geht Heidi wieder weg von hier. Und es tut weh, wenn man verlassen wird.

In den Bergen

»Was hast du geträumt?«, fragte der Großvater,
als Heidi am Morgen die Leiter herunterkam.
»Ich habe überhaupt nicht geschlafen«,
behauptete Heidi. »Der Mond schien durch die
Dachluke und die Tannen rauschten und ein
Vogel hat geschrien. Das war so schön, ich
musste einfach wach bleiben!«
Da ertönte draußen ein Pfiff. Eine Ziegenherde
trappelte an der Hütte vorbei.
»Da kommt der Peter«, sagte der Großvater.
»Er sammelt jeden Morgen die Ziegen im
ganzen Dorf ein und zieht mit ihnen auf die
Weide. Am Abend bringt er sie wieder hinunter.«
Er ging hinaus, um Schwänli und Bärli aus dem

Stall zu lassen. Heidi rannte hinterher. Beinahe wäre sie mit dem Peter zusammengestoßen.

»Pass doch auf!«, schrie Peter. »Hast du keine Augen im Kopf?«

»Willst du nicht wissen, wer ich bin?«, fragte Heidi.

»Das weiß ich längst«, sagte Peter. »Das ganze Dorf redet ja darüber, dass du jetzt hier bei deinem Großvater wohnst, du Arme.«

»Ich bin nicht arm«, widersprach Heidi. »Ich habe ein herrliches Bett im Heu und Brot mit Ziegenkäse. Ich habe die grüne Wiese und die Tannenbäume und die Berge. Und ich hab den besten Großvater! Ich bin reich, Peter.«

»Na, ich weiß ja nicht . . .«, sagte Peter.

Peter ging mit seiner Herde los, höher hinauf zu den saftigen Bergwiesen.

»Nimm mich mit, Peter«, rief Heidi. »Ich will die Berge aus der Nähe sehen.«

Peter zuckte mit den Schultern.

Der Großvater sagte: »Wirst du gut auf Heidi aufpassen, Peter? Lass sie nicht an die steilen

Abhänge gehen und nicht auf die Felsen
klettern!«

»Jaja, mach ich«, knurrte der Peter. »Ich bin ja
nicht dumm.«

Der Großvater lächelte. »Das weiß ich, Peter.«

So ging Heidi zum ersten Mal mit dem
Geißenpeter hinauf in die Berge.

Der Peter war gar nicht so raubeinig, wie er tat.

Im Gegenteil – er war froh, dass Heidi jeden
Morgen mit ihm auf die Weide ging. Zu zweit
machte das Ziegenhüten viel mehr Spaß.
Anfangs lachte Peter, wenn Heidi alles, was sie
sah, laut bejubelte: »Ach sieh nur, wie blau der
Himmel ist, Peter! Ist das Schnee da oben auf
den Bergspitzen? Weißt du, wie die roten

Blumen heißen? Und die weißen? Sieh doch die
großen Vögel dort oben!«

»Das sind Adler«, sagte Peter. »Sie haben ihr
Nest ganz oben in den Felsen. Die Adler sind
die Könige der Berge.«

Heidi setzte sich auf einen Stein und nahm alles
in sich auf. Sie war ganz sicher, dass diese

Bergweide der schönste Ort der Welt wäre. Und sie selber das glücklichste Kind auf der ganzen Erde.

Heidi half dem Peter die Ziegen zusammenzuhalten. Gemeinsam passten sie auf, dass keins der Tiere dem Felsabhang zu nahe kam. Und dass keins von den jungen Zicklein sich von der Herde entfernte.

»Die Adler sind so groß«, behauptete der Peter,
»die können leicht ein Zicklein packen und
fortschleppen.«
Schon nach kurzer Zeit konnte Heidi alle Ziegen
voneinander unterscheiden und sie bei ihren
Namen rufen: Schwänli und Bärli, Türk und
Distelfink, und das allerkleinste Zicklein hieß
Schneehöppli.
Mittags molken sie sich ein Töpfchen
Ziegenmilch und aßen dazu Brot und Käse aus
Peters Rucksack.
Wenn sich die Sonne groß und rot hinter die

Berge zurückzog, riefen sie die Ziegen
zusammen und machten sich auf den Heimweg.
Bald war Heidi braun von der Sonne, wie der
Peter. Sie bekam runde Wangen und wuchs ein
ganzes Stück über den Sommer.
Als der Herbst kam, wurden die Tage kürzer.
Immer öfter heulte der Sturm um die Hütte. Er
zerrte an den Tannen und rüttelte an den
Dachschindeln.
Vorbei waren die schönen Tage auf den
Bergwiesen. Die Ziegen blieben im Stall. Der
Geißenpeter kam nicht mehr. »Den Winter über
geht er im Dorf in die Schule«, sagte der
Großvater.
Aber auch an den kalten Tagen hatte Heidi
keine Langeweile. Sie lernte, wie aus der
Ziegenmilch Käse gemacht wird. Sie schaute zu,
wie der Großvater Löffel und Quirle schnitzte,
Schemel und Futtertröge baute. Und manchmal
fuhren sie beide mit dem Schlitten ins Dorf
hinunter. Dann brachte der Großvater seine
Tröge und seine Käselaibe in den Laden zum

Verkauf. Wenn sie danach den Schlitten wieder hinauf zur Hütte zogen, war er beladen mit allem, was sie dort zum Leben brauchten: mit frischem Brot, mit warmen Schuhen für Heidi, mit einem neuen Kessel für die Milch, mit einem Paket Wachskerzen und sogar mit einem Rosinenkuchen für das Weihnachtsfest.

Überraschender Besuch

Endlich kam der Frühling! Auf den Wiesen
wuchs frisches Grün, die Himmelschlüssel
blühten. Sehnsüchtig wartete Heidi darauf, dass
sie wieder mit dem Peter und den Ziegen auf die
Weide gehen durfte.

Da stand eines Morgens Tante Dete vor der
Hütte. Überrascht musterte der Großvater den
unverhofften Besuch. Ein Seidenkleid trug die
Tante, Knöpfstiefel, einen Federhut.

»Was willst du?«, knurrte der Großvater.

»Das Kind abholen«, antwortete Dete. »Ich habe
in Frankfurt eine Stelle für Heidi gefunden.«

»Was soll das heißen – eine Stelle? Heidi ist
noch viel zu klein zum Arbeiten.«

»Arbeiten soll sie ja nicht. Sie wird
Gesellschafterin bei einem kranken Mädchen –
Klara Sesemann. Ihr Vater ist der reichste
Kaufmann von ganz Frankfurt. Ihre Mutter ist tot
und Geschwister hat sie nicht. Sie kann nicht
laufen und sitzt den ganzen Tag im Rollstuhl.
Heidi soll mit dem Mädchen spielen und mit ihr
unterrichtet werden. Sie wird dort eine gute
Erziehung bekommen. Das kannst du ihr gar
nicht bieten, hier auf deiner Alm.«
Der Großvater antwortete nicht und schaute
Dete nur finster an.

Da kam Heidi die Leiter vom Heuboden heruntergeklettert. Sie baute sich vor Tante Dete auf und sagte trotzig: »Ich will aber nicht nach Frankfurt.«

»Du musst«, entgegnete die Tante streng. »Ich habe mit Herrn Sesemann alles besprochen und Geld bekommen, damit wir dir ordentliche Kleider kaufen können.«

»Großvater!«, schrie Heidi. »Ich will nicht weg!«

»Du hörst doch, Kind«, sagte der Großvater. »Du wirst lesen und schreiben lernen, in einem vornehmen Haus wohnen und ordentlich gekleidet sein. Wenn ich mal nicht mehr lebe, wirst du froh sein, wenn du etwas gelernt hast für deine Zukunft.«

Heidi fing an zu schluchzen. »Du wirst immer leben, Großvater! Und ich will hier bleiben, bei dir!«

»Los, komm jetzt!«, drängte die Tante. »Wir müssen hinunter ins Dorf und einen Wagen suchen, der uns zur Bahnstation mitnimmt.«

Sie griff nach Heidis Arm. Aber Heidi klammerte sich am Großvater fest. »Wenn es dir bei

Sesemanns nicht gefällt, darfst du wieder zurück auf die Alm«, versprach Tante Dete.

»Wirklich?« Heidi schaute dem Großvater ins Gesicht.

Der Großvater nickte.

»Gut, dann will ich mir die große Stadt anschauen. Auf Wiedersehen, Großvater. Ich komme bald wieder heim.«

Wortlos drückte der Großvater Heidi an sich.

»Pass mir gut auf das Kind auf, Dete!«

Auf dem Weg ins Dorf drehte sich Heidi immer

wieder um und winkte. Bedrückt schaute der
Großvater den beiden Gestalten nach, die
immer kleiner wurden und schließlich im Wald
verschwanden.

Ein großes Haus in Frankfurt

Ein Heuwagen nahm Heidi und die Tante mit
zum Bahnhof. Viele Stunden mussten sie mit der
Eisenbahn fahren. Erst am nächsten Morgen
kamen die beiden Reisenden in Frankfurt an.
Mit weit aufgerissenen Augen bestaunte Heidi
die großen Häuser, die Kutschen und die vielen
Leute, die alle irgendwohin eilten.

»Bleib nicht dauernd stehen!«, schimpfte Tante
Dete. »Ich habe nicht ewig Zeit für dich.«
In einem Laden mit riesigen Schaufenstern
kaufte die Tante ein Kleid, einen blauen Stoffhut
und ein paar Schuhe für Heidi. Sie ließ auch
Strümpfe und Unterwäsche einpacken und zwei

Schürzen. Das alles bezahlte die Tante mit dem
Geld, das ihr Herr Sesemann gegeben hatte.
Der Hut gefiel Heidi gut. Aber als sie dann mit
Tante Dete weiter durch die Stadt lief, begann
die straff gebundene Schleife unter ihrem Kinn
zu kneifen. Auch die neuen Schuhe drückten an
der Ferse.
»Ich will barfuß gehen«, jammerte Heidi – so
lange, bis die Tante entnervt nachgab und die
Schuhe in ihren Korb zu den anderen Sachen
steckte.

Endlich blieben sie vor einem Haus mit
zahllosen blanken Fenstern stehen. Das Haus
war so groß und schön, dass es Heidi wie ein
Märchenschloss erschien. Tante Dete schlug mit

dem Messingklopfer an die Haustür. Ein junger
Mann öffnete. Auf seiner Jacke trug er zwei
Reihen golden glänzender Knöpfe.
Heidi starrte ihn bewundernd an. »Bist du ein
Prinz?«
Der Mann lachte.

»Nein, ich bin der Hausdiener Sebastian. Und du bist bestimmt Heidi. Komm herein, du wirst schon erwartet.«

»Also, ich gehe dann«, sagte Tante Dete hastig. Sie drückte dem Diener den Korb mit Heidis Sachen in die Hand. Ohne ein Abschiedswort lief sie davon.

In der Eingangshalle ertönte eine empörte Stimme. »Warum hat das Kind keine Schuhe an?«

Der Diener schloss die Haustür und sagte: »Heidi, das ist Fräulein Rottenmeier. Sie führt Herrn Sesemann den Haushalt und du musst ihr immer gehorchen.«

Heidi schaute dem Fräulein ins Gesicht und dachte: Die gefällt mir nicht, die hat kalte Augen. »Zieh deine Schuhe an und binde deine Hutschleife ordentlich«, befahl Fräulein Rottenmeier. »Ich stelle dich jetzt Klara Sesemann vor. Du wirst mit ihr zusammen am Unterricht teilnehmen. Kannst du denn schon fließend lesen? Und in Schönschrift schreiben?«

Heidi schüttelte den Kopf. »Ich kann keine Hutschleife binden. Lesen kann ich auch nicht. Und schreiben schon gar nicht.«

Fräulein Rottenmeier schlug entsetzt die Hände zusammen. »Bist du denn nicht in die Schule gegangen? Oh, was wird bloß Herr Sesemann dazu sagen?«

Ärgerlich blickte Fräulein Rottenmeier auf Heidi herab. Dann nahm sie die Schuhe aus dem Korb. »Nun beeile dich, Kind!«

»Ich brauche die Schuhe nicht, ich gehe sowieso gleich wieder heim«, sagte Heidi.

»Was soll der Unsinn, du bleibst hier! Und zwar für immer – so hat es Herr Sesemann mit deiner

Tante ausgemacht. Nun komm endlich, Klara
wartet.«

Da merkte Heidi, dass Tante Dete sie angelogen
hatte. Für immer sollte sie hier bleiben, weit weg
vom Großvater. Nie wieder sollte sie heimdürfen
in die Hütte auf der Bergwiese. Den Peter mit
seinen Ziegen nie wieder sehen. Ihr wurde ganz
schwer ums Herz und sie kniff die Augen fest
zusammen, damit sie nicht weinen musste.
Fräulein Rottenmeier öffnete eine der vielen
Türen. Sie schob Heidi in ein Zimmer und sagte:
»Klara, hier ist die Kleine, die dir Gesellschaft
leisten soll. Aber ich glaube, sie ist ein bisschen
zurückgeblieben. Wir müssen sie fest
anpacken.«

»Sie sieht lieb aus«, sagte eine freundliche
Stimme. »Heidi, ich bin froh, dass du gekommen
bist.«

Heidi öffnete die Augen. Die Sonne schien in
das Zimmer. Am Fenster stand ein Stuhl mit
Rädern, darin saß ein blondes Mädchen.
Das Mädchen griff in die Räder und bewegte

sich mit dem Rollstuhl auf Heidi zu. »Ich bin
Klara. Und ich weiß genau, dass wir gute
Freundinnen sein werden.«
Erleichtert fasste Heidi nach Klaras
ausgestreckter Hand. Klara gefiel ihr viel besser
als Fräulein Rottenmeier. »Ja, wir werden
Freundinnen«, wiederholte sie.
Fräulein Rottenmeier sagte: »Na, das werden
wir erst noch sehen . . .«

Heidi in der Fremde

Bei Klara war alles anders als zu Hause beim
Großvater. Und vieles verstand Heidi nicht.
»Wenn dein Vater so reich ist«, fragte sie,
»warum gibt es dann keine Ziegenmilch bei

euch? Und warum habt ihr überhaupt keine
Ziegen im Haus?«

Klara musste so lachen, dass sie sich an ihrem
Kakao verschluckte. Fräulein Rottenmeier aber
fing gleich an zu schimpfen. Sie schimpfte jeden
Tag. Denn Heidi machte ihrer Meinung nach
alles falsch. Heidi wusste nicht, wie man sich bei
Tisch benimmt, wie man das Besteck richtig
anfasst, wie man mit den Dienstboten spricht.

Und immer, wenn sie etwas tun sollte, fragte sie:
»Warum?«

Wirklich, Heidi machte dem armen Fräulein
Rottenmeier viel Kopfzerbrechen.

Aber selbst das Fräulein bemerkte, wie fröhlich
Klara geworden war.

Klara liebte Heidi vom ersten Tag an. Jetzt saß
sie nicht mehr den ganzen Tag still in ihrem
Rollstuhl am Fenster. Im ganzen Haus war sie
unterwegs, um Heidi alles zu zeigen – die
Küche, das Ankleidezimmer, den Salon, sogar
den Dachboden! Der Diener Sebastian trug
Klara geduldig treppauf und treppab. Fräulein

Rottenmeier war verzweifelt. So ein
Durcheinander, so ein Lärm!
Und erst der Unterricht mit Heidi! Gleich am
ersten Morgen hatte sie das Tintenfass
umgekippt. Besonders schwer fiel ihr das
Stillsitzen.

Schon ein ganzer Monat war vergangen und
Heidi konnte immer noch nicht richtig lesen.
Klara aber machte der Unterricht jetzt viel mehr
Spaß. Oft drang aus dem Schulzimmer lautes

Lachen. Der Hauslehrer freute sich, dass Klara
nicht mehr so schnell müde und traurig wurde.
»Du müsstest zu uns auf die Alm kommen«,
sagte Heidi zu Klara. »Milch und Käse essen.
Jeden Tag auf die Wiese mit den Ziegen. Und
im Heu schlafen . . . Davon wirst du gesund,
bestimmt! Ich war ganz klein und schwach, als
ich zum Großvater kam. Jetzt kann ich schon mit
dem Peter die Ziegen hüten, ich weiß, wie man
Käse macht und . . .«
»Erzähl mir alles!«, verlangte Klara. »Von
deinem Großvater. Vom Geißenpeter. Und von
den Ziegen.« Klara konnte gar nicht genug
hören von Schwänli und Bärli, vom Türk und
vom Distelfink. Und vor allem vom kleinen
Schneehöppli!
Klaras Vater musste oft verreisen. Klara war
immer allein gewesen in dem großen Haus.
Allein mit Fräulein Rottenmeier. Aber jetzt war
es nie mehr langweilig. Jeden Tag dachte sich
Klara etwas aus, damit sich Heidi bei ihr wohl
fühlte. Sebastian musste den Kutscher rufen und

die Pferde anspannen lassen. Denn Klara wollte Heidi die Stadt Frankfurt zeigen. Das passte Fräulein Rottenmeier gar nicht. Aber wenn Klara es so wollte . . . Heidi gefiel die Fahrt in der Kutsche sehr. »Schade, dass es hier keine Berge gibt. Und keine Tannen. Dann wäre alles noch viel schöner.«

»Du undankbares Kind«, schalt Fräulein Rottenmeier. »Sei froh, dass du jetzt in der Großstadt leben darfst! Vergiss endlich die Berge und die armselige Hütte mit den schmutzigen Ziegen!«

Heidi senkte den Kopf. Eben war sie noch so froh über den schönen Ausflug gewesen.

Klara fasste nach Heidis Hand. »Sei nicht traurig! Das nächste Mal fahren wir aus der Stadt hinaus. An den Fluss. Dort gibt es Wiesen und Weinberge. Das wird dir gefallen.«

Aber Fräulein Rottenmeier sagte: »Ich glaube nicht, dass Herr Sesemann weitere Ausflüge erlauben würde. Das ist viel zu anstrengend für Klara.«

»Wir schreiben ihm einen Brief und fragen ihn«, rief Klara.

»Ich schreibe ihm, ich«, entgegnete Fräulein Rottenmeier streng. »In meinem Brief werde ich Herrn Sesemann alles berichten, was Heidi anrichtet. Unser ganzes ordentliches Leben bringt sie durcheinander!«

Und sie zählte auf, was Heidi falsch gemacht hatte – vom allerersten Tag an. »Ich werde Herrn Sesemann vorschlagen Heidi zurückzuschicken. Sie ist keine geeignete Gesellschaft für eine Tochter aus vornehmer Familie.«

»Ich kann wieder heimfahren?«, fragte Heidi zaghaft.

»Das dürfen Sie nicht tun!«, schrie Klara so laut, dass sich der Kutscher erschrocken umdrehte.

»Heidi ist meine Freundin und ich will mich nie wieder von ihr trennen. Seit sie bei mir ist, geht es mir gut. Noch nie in meinem Leben war ich so fröhlich. Das werde ich meinem Vater schreiben – in meinem Brief.«

So kam es, dass Herr Sesemann zwei Briefe
bekam. Und in jedem von beiden stand genau
das Gegenteil vom anderen.

Als er seine Geschäfte abgeschlossen hatte und
heimfuhr nach Frankfurt, war er sehr gespannt.
Was würde ihn zu Hause erwarten? War dieses
kleine Mädchen aus den Bergen wirklich so eine
Plage? Oder war Heidi ein liebes Kind, das
seine Klara glücklich machte?

Heimweh

Herr Sesemann blieb verblüfft an der Haustür stehen. »Klara!«, rief er. »Was für eine Überraschung!«

Noch nie hatte Klara ihn unten in der Eingangshalle begrüßt. Sie hatte sich von Sebastian hinuntertragen lassen. Nun saß sie da in einem Sessel und strahlte ihren Vater an. Neben ihr lehnte Heidi.

»Papa, endlich bist du wieder da! Und das ist meine Freundin Heidi.«

Klaras Vater lachte. »Das habe ich mir schon gedacht. Wie gefällt es dir bei uns, Heidi?«

»Hier ist es schön«, antwortete Heidi. »Ich habe Klara sehr lieb.«

Mit großer Freude sah Herr Sesemann, wie
seine Tochter sich verändert hatte. Ihre Wangen
waren rot, ihre Augen leuchteten. Sie lachte und
redete pausenlos vor lauter
Wiedersehensfreude.
»Hast du meinen Brief bekommen, Papa?«
»Ja, das habe ich. Und Ihren Brief auch,
Fräulein Rottenmeier. Ich sehe auf den ersten
Blick, wie gut Heidi meiner Tochter tut. Sie bleibt
natürlich bei uns!«

»Wie Sie wünschen, Herr Sesemann«, sagte
Fräulein Rottenmeier.

»Und jetzt will ich zusehen, wie ihr eure
Geschenke auspackt«, rief Klaras Vater
vergnügt.

Er hatte für jeden etwas mitgebracht – die
meisten Geschenke natürlich für Klara. Ein
Kleid, Haarschleifen, eine Puppe . . . Heidi
bekam ein dickes Buch, denn Herr Sesemann
hatte erfahren, dass sie jetzt richtig lesen
konnte.

Heidi wickelte das Buch aus dem bunten Papier
aus und schlug es gleich auf. Plötzlich seufzte
sie tief auf. Und dann liefen die Tränen aus ihren
Augen wie zwei Bäche. Sie konnte überhaupt
nicht mehr aufhören zu weinen.

»Was hast du denn?«, fragte Herr Sesemann
bestürzt. »In dem Buch sind Geschichten und
Bilder von den Bergen. Ich dachte, es gefällt
dir!«

»Der Junge mit den Ziegen sieht aus wie der Geißenpeter«, schluchzte Heidi. »Und in genau so einer Hütte wohnt der Großvater. Die Tannen, die Blumen – alles ist wie zu Hause . . .«

Am nächsten Tag war Heidi krank. Sie konnte morgens nicht aufstehen und wollte auch nichts essen. Klara kam mit ihrem Stuhl an Heidis Bett gerollt.

»Willst du mir vom Schneehöppli erzählen?«, fragte sie leise. »Vielleicht geht es dir dann besser?«

Aber da musste Heidi gleich wieder weinen.

Herr Sesemann ließ den Doktor rufen. »Was ist los mit Heidi? Was fehlt ihr?«

»Eigentlich ist sie gesund«, antwortete der Doktor. »Ihr fehlt nur das Zuhause! Das Kind ist krank vor Heimweh. Ich kann da leider gar nichts tun.«

Herr Sesemann nickte nachdenklich. Als der Doktor gegangen war, setzte er sich zusammen mit Klara an Heidis Bett.

»Wenn das Heimweh so schlimm ist«, sagte er,
»dann müssen wir etwas dagegen tun.«

»Was denn?«, murmelte Heidi.

»Wir schicken dich nach Hause zum Großvater.
Gleich morgen.«

»Wirklich?« Heidis Augen begannen zu glänzen.
»Aber – Klara wird traurig
sein, wenn ich
wegfahre.«

Klara nickte. »Sehr
traurig.«

Herr Sesemann
sagte zu seiner
Tochter: »Ich
weiß ein gutes Mittel gegen Traurigkeit. Im
nächsten Sommer werden wir beide zusammen
verreisen. Ich denke da an eine Reise in die
Berge – zu einer Hütte, wo es Ziegen gibt und
Tannen . . .«

»Wir besuchen Heidi? Das ist das allerschönste
Geschenk, Papa! Ich verspreche dir nicht traurig
zu sein. Kein bisschen.«

»Ich werde gleich einen Brief an Heidis
Großvater schreiben«, kündigte Herr Sesemann
an. »Wir müssen ja erst fragen, ob wir
willkommen sind. Inzwischen soll Fräulein
Rottenmeier Heidis Koffer packen. Sebastian
wird dich morgen früh nach Hause bringen.«
Heidi sprang aus dem Bett und umarmte Klara.
»Ich glaube, ich bin gar nicht mehr krank«,
flüsterte sie in Klaras Ohr.

Heidi ist wieder da!

Heidi konnte es kaum erwarten, wieder nach
Hause zu kommen. Die Fahrt schien überhaupt
kein Ende zu nehmen. Endlich fuhr der Zug in
die vertraute Bahnstation ein. Aber dem Diener
Sebastian erschien an diesem winzigen Bahnhof
überhaupt nichts vertraut. Kein Kofferträger
stand bereit, keine Kutsche wartete. Nicht
einmal einen richtigen Bahnsteig gab es.
Niemand außer ihm und Heidi stieg hier aus.
»Siehst du, Sebastian, das sind meine Berge!«,
jauchzte Heidi. »Dort oben wohnt der Großvater,
da wollen wir hin!«
Dem armen Sebastian wurde ganz bange. So
hoch hinauf sollte er den schweren Koffer

schleppen? Und dann noch die ganze Nacht auf
den Zug für die Rückfahrt warten?

Doch plötzlich hielt neben ihnen ein Wagen an,
der mit Brennholz beladen war.

»Ja, Heidi! Bist du wieder zurück aus der großen
Stadt?«, rief der Kutscher. »Willst du mit bis ins
Dorf fahren?«

Der Mann lud den Koffer auf den Wagen und
sagte: »Den kann der Großvater morgen bei mir
abholen. Und den Weg zur Hütte hinauf, den
wirst du wohl noch finden, Heidi.«
Sebastian war sehr froh, dass er gleich mit

demselben Zug wieder zurückfahren konnte.
Schnell verabschiedete er sich von Heidi.

»Dein Großvater wird sich freuen«, sagte der
Mann auf dem Holzwagen zu Heidi. »Seit du
weggezogen bist, spricht er mit niemandem und
kommt auch nicht mehr zum Laden herunter.
Nur der Peter sieht ihn manchmal, wenn er die
Ziegen holt.«

»Jetzt bin ich ja da«, antwortete Heidi. »Und ich
gehe auch nie wieder fort!«

Der Wagen fuhr durch das ganze Dorf. Überall
kamen die Leute vor die Türen und begrüßten
Heidi. Endlich hielt der Wagen bei dem Weg, der
zu Heidis Zuhause hinaufführte. Heidi sprang vom
Wagen und lief bergan, so schnell sie konnte.
Schon von weitem sah sie den Großvater auf der
Bank vor der Hütte sitzen. Den Kopf hielt er
gesenkt und schaute auch nicht auf, als Heidi ihn
rief. Endlich aber war sie so nahe, dass er ihre
Stimme hörte. Überrascht kam er ihr entgegen.
Außer Atem rannte Heidi die letzten Schritte. Der
Großvater fing sie in seinen Armen auf.

»Was ist denn passiert?«, fragte er und wollte
Heidi gar nicht wieder loslassen. »Haben sie
dich nicht behalten in Frankfurt?«

»Doch! Es war auch schön dort mit Klara. Aber
ich hatte solches Heimweh, dass ich krank
geworden bin.«

»Krank?« Besorgt schaute der Großvater Heidi
ins Gesicht.

Aber Heidi schüttelte den Kopf. »Nein, jetzt
geht's mir gut, jetzt bin ich ja zu Hause! Es ist

nur alles so schnell gegangen. Sonst hätte ich
dir bestimmt vorher einen Brief geschrieben.«

»Du hast schreiben gelernt«, staunte der
Großvater. »Und gewachsen bist du auch.«

Heidi hockte sich neben den Großvater auf die Bank und fing an zu erzählen. Sie erzählte von Klara und dem Hauslehrer, von Fräulein Rottenmeier und Herrn Sesemann. Sie erzählte von dem Doktor und von dem Hausdiener Sebastian, der sie auf der Heimreise begleitet hatte. Sie erzählte auch von Herrn Sesemanns Versprechen, im nächsten Sommer mit Klara zu Besuch zu kommen. »Und morgen gehen wir ins

Dorf und holen den Koffer, Großvater! Darin ist
auch ein Brief von Herrn Sesemann.«
Die Abendsonne färbte schon die Bergspitzen
rot, als Heidi endlich verstummte. Mit einem
glücklichen Seufzer schaute sie sich um. Sie
hörte die Tannen neben der Hütte rauschen. Sie
sah hoch oben den Adler kreisen. Alles war
noch genau so wie vor ihrer Reise – als wäre sie

nie fort gewesen. Und da kam der Peter von der Weide mit allen Ziegen!

»Heidi!«, schrie der Peter. »Heidi, du bist wieder da?«

Heidi sprang von der Bank und fiel dem Peter um den Hals. Sie umarmte auch alle Ziegen und nannte sie bei ihren Namen.

»Ich bleibe für immer hier, Peter!«

»In Ordnung«, sagte der Peter zufrieden. »Dann Adieu und morgen gehen wir zusammen auf die Weide.«

Heidi war so müde von der langen Fahrt, dass sie beim Abendessen schon den Kopf auf den Tisch sinken ließ. Der Großvater stieg auf den Boden und breitete ein Leintuch im Heu aus. Dann trug er Heidi die Leiter hinauf.

»Schlaf gut, mein Kind!«, sagte er.

»Nein«, murmelte Heidi und schloss die Augen. »Heute Nacht kann ich bestimmt nicht schlafen. Es ist viel zu schön hier.«

Als Nils eines Tages auf den Hof tritt, weiß er gar nicht, wie ihm geschieht. Auf einmal ist er winzig klein und schwupp! sitzt er auf dem Rücken von Martin. Und dann erhebt sich die Gans einfach in die Lüfte. Ob das gut geht? Ganz wohl ist Nils dabei nicht, doch bald macht ihm das Fliegen richtig Spaß. Nils und Martin schließen sich einer Schar von Wildgänsen an und zusammen erleben sie einen Sommer voller spannender Abenteuer!

Gebunden. Durchgehend farbige Illustrationen. 72 Seiten. Ab 7/8

EDITION
BÜCHERBÄR